Answer Key

Francisca González Flores
Stanford University

Introducción a la lingüística española

Third Edition

Revised by

Milton M. Azevedo
University of California, Berkeley

Prentice Hall

Upper Saddle River   London   Singapore   Toronto
Tokyo   Sydney   Hong Kong   Mexico City

Acquisitions Editor: Donna Binkowski
Sponsoring Editor: María F. García
Editorial Assistant: Gayle Unhjem
Executive Marketing Manager: Kris Ellis-Levy
Senior Marketing Manager: Denise Miller
Marketing Coordinator: William J. Bliss
Senior Managing Editor: Mary Rottino
Associate Managing Editor: Janice Stangel

Project Manager: Manuel Echevarria
Senior Media Editor: Samantha Alducin
Senior Operations Specialist: Brian Mackey
Operations Specialist: Cathleen Petersen
Publisher: Phil Miller
Composition/Full-Service Project Management: Jill Traut, Macmillan Publishing Solutions

This book was set in 10/12.5 Garamond.

Printed in the United States of America

Prentice Hall
is an imprint of

www.pearsonhighered.com

ISBN 13: 978-0-205-64707-1
ISBN 10:   0-205-64707-3

Table of Contents

La lengua española en el mundo

1

1.1. Países hispanohablantes de Suramérica

Argentina / 8 / Buenos Aires

Bolivia / 5 / A: La Paz; B: Sucre

Chile / 7 / Santiago

Colombia / 2 / Bogotá

Ecuador / 3 / Quito

Paraguay / 6 / Asunción

Perú / 4 / Lima

Uruguay / 9 / Montevideo

Venezuela / 1 / Caracas

1.2. México, Centroamérica y el Caribe

Costa Rica / 6 / San José

Cuba / 8 / La Habana

El Salvador / 4 / San Salvador

Guatemala / 2 / Ciudad de Guatemala

Honduras / 3 / Tegucigalpa

México / 1 / México

Nicaragua / 5 / Managua

Panamá / 7 / Ciudad de Panamá

Puerto Rico / 10 / San Juan

República Dominicana / 9 / Santo Domingo

1.3. Las Comunidades Autónomas de España

Andalucía / 6 / Sevilla

Aragón / 2 / Zaragoza

Principado de Asturias / 9 / Oviedo

Islas Baleares / 12 /Palma de Mallorca

Canarias / 10a, 10b / Las Palmas de Gran
Canaria y Santa Cruz de Tenerife*

Cantabria / 11 / Santander

Castilla-La Mancha / 13 / Toledo

Castilla y León / 3 / Valladolid

Cataluña / 14 / Barcelona

*capitalidad compartida

Extremadura / 4 / Mérida

Galicia / 5 / Santiago de Compostela

La Rioja / 16 / Logroño

Comunidad de Madrid / 1 / Madrid

Región de Murcia / 8 / Murcia

Navarra / 15 / Pamplona

País Vasco / 19 / Vitoria

Comunidad Valenciana / 7 / Valencia

Ceuta / 18 / Ceuta

Melilla / 17 / Melilla

1.4. Períodos históricos y pueblos

1. Período prerromano (hasta el siglo III a.C.)

   Iberos, celtas, tartesios, fenicios, griegos, cartaginenses, vascos

2. Período imperial (desde el siglo III a.C. hasta la caída del Imperio Romano en el siglo V)

   Romanos, vascos

3. Período de dominación germana (siglos V–VIII)

   Godos, ostrogodos, suevos, vándalos, visigodos, alanos, vascos

4. Período de presencia musulmana (siglos VIII–XV)

   Árabes, bereberes, vascos

1.5. La Hispania romana

1. Gallaecia / Bracara Augusta / Braga (Portugal)

2. Lusitania / Emerita Augusta / Mérida (España)

3. Baetica / Corduba / Córdoba (España)

4. Tarraconensis / Tarraco / Tarragona (España)

1.6. El desarrollo del español: ciudades clave en la Edad Media peninsular

1. Verifíquese la respuesta en un mapa de España.

2. Estos monasterios son importantes porque en ellos se encontraron importantes manuscritos medievales en los que hay los primeros textos con palabras del romance peninsular.

3.

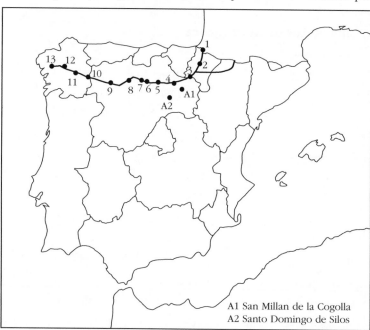

A1 San Millan de la Cogolla
A2 Santo Domingo de Silos

4. El Camino de Santiago es una vía de peregrinación a la tumba del apóstol Santiago.

1.7. Fechas y obras fundamentales

1. h;   2. j;   3. f;   4. g;   5. i;   6. b;   7. e;   8. d;   9. c;   10. a.

1.8. La historia del español en fechas

1. Edad media (siglos V–XIV)

Alfonso X el Sabio, Al-Andalus, Glosas Emilianenses

2. Renacimiento (siglos XV–XVI)

Fernando de Rojas, Reyes Isabel y Fernando, Miguel de Cervantes, Elio
Antonio de Nebrija, fin de la Reconquista, Siglo de Oro

3. Barroco (siglo XVII)

Miguel de Cervantes, Sebastián de Covarrubias, Siglo de Oro

4. Neoclasicismo (siglo XVIII)

Real Academia de la Lengua Española, Siglo de las Luces

5. Romanticismo (siglo XIX)

Napoleón, Guerra de Independencia, Andrés Bello

1.9. ¿Verdadero o falso?

Verdadero: 1, 2, 4, 5, 7, 8, 10, 11, 16, 18, 19, 21, 22, 23, 24, 25.

Falso: 3, 6, 9, 12, 13, 14, 15, 17, 20.

1.10. Prueba de autoevaluación

Las respuestas se encuentran al final del *Cuaderno de ejercicios.*

Lenguaje, lengua y lingüística

2

2.1. Elementos de la comunicación y funciones del lenguaje

2.1.a. 1. c;   2. e;   3. a;   4. b;   5. d.

2.1.b. 1. e;   2. d;   3. b;   4. a;   5. c.

2.2. Funciones del lenguaje

1. b, h;   2. a, j;   3. e, g;   4. c, i;   5. d, f;   6. k.

2.3. Publicidad y lingüística

Función directiva: Imperativos:

"¡Llama a tu media naranja ya! ¡No pierdas más tiempo!"

"Visítanos en la red (…) o llámanos al (…)"

Función expresiva: Juicios de valor del hablante:

"¡es tan fácil!"

Función informativa: Dirección de página web, número de teléfono, métodos de trabajo, experiencia:

"Nuestros colaboradores te ayudarán a encontrar a tu pareja ideal (…)

Cinco años de experiencia y cientos de matrimonios felices nos avalan.

(…) nuestra página es www.1/2naranja.com

(…) llámanos al 1-800-666-666

Función fática: Preguntas directas al lector, uso del pronombre de segunda persona "tú" (informal, personal y directo):

"¿Te sientes solo, abandonado, aislado? ¿Estás harto de que todos tus amigos te concierten citas a ciegas? ¿Estás cansado de no estar casado?"

2.4. Los componentes del lenguaje

1. Componente fonológico

   Rama: Fonología

   Estudia las relaciones de los fonos en el sistema como, por ejemplo, la formación de pares mínimos

2. Componente morfológico

   Rama: Morfología

   Estudia las unidades mínimas de significado, por ejemplo, los sufijos y prefijos.

3. Componente sintáctico

   Rama: Sintaxis

   Estudia la estructura de las oraciones, como por ejemplo, la formación de oraciones simples y complejas.

4. Componente semántico

Rama: Semántica

Estudia el significado de palabras y oraciones, como por ejemplo, el significado literal y el significado figurado.

5. Componente pragmático

Rama: Pragmática

Estudia el uso del lenguaje en el contexto comunicativo como, por ejemplo, los distintos registros.

2.5. Gramáticas

1. e; 2. c; 3. b; 4. d; 5. a.

2.6. Las funciones del lenguaje en un contexto

1. Función informativa
2. Función expresiva
3. Función expresiva
4. Función directiva
5. Función fática

6. Función expresiva
7. Función directiva
8. Función informativa
9. Función expresiva
10. Función factitiva

2.7. Características del lenguaje

1. Característica: Creativo
2. Característica: Social
3. Característica: Sistemático
4. Característica: Arbitrario
5. Característica: Oral

2.8. Cada oveja con su pareja

1. e; 2. j; 3. h; 4. c; 5. a; 6. g; 7. d; 8. i; 9. f; 10. b.

2.9. ¿Verdadero o falso?

Falso: 1, 2, 4, 7, 10, 15, 16, 17, 18, 23, 24. 19

Verdadero: 3, 5, 6, 8, 9, 11, 12, 13, 14, 19, 20, 21, 22, 25.

15, 23, 24

2.10. Prueba de autoevaluación

Las respuestas se encuentran al final del *Cuaderno de ejercicios.*

Fonética: Los sonidos del habla

3

3.1. Acento tónico

1. Sílaba tónica: cie   División silábica: cie - lo
2. Sílaba tónica: rí   División silábica: co - me - rí - a
3. Sílaba tónica: vian   División silábica: vian - da
4. Sílaba tónica: di   División silábica: ad - ve - ne - di - zo
5. Sílaba tónica: mé   División silábica: pro - mé - te - me - lo
6. Sílaba tónica: vión   División silábica: a - vión
7. Sílaba tónica: brir   División silábica: cu - brir
8. Sílaba tónica: ca   División silábica: man - te - ca - do
9. Sílaba tónica: cán   División silábica: cán - ta - ro
10. Sílaba tónica: dad   División silábica: in - ti - mi - dad

3.2. Consonantes fricativas y africadas

1. algo   go   fricativa velar sonora   [ɣ]
2. acción   ción   fricativa interdental sorda   [θ]
3. siete   sie   fricativa alveolar sorda   [s]
4. ágil   gil   fricativa velar sorda   [x]
5. vivo   vo   fricativa bilabial sonora   [θ]
6. mucho   cho   africada palatal sorda   [tʃ]
7. Murcia   cia   fricativa interdental sorda   [θ]
8. fuerte   fue   fricativa labiodental sorda   [f]
9. chamarra   cha   africada palatal sorda   [tʃ]
10. Málaga   ga   fricativa velar sonora   [ɣ]

3.3. Modo de articulación

1. "dí"   Oclusiva sonora   [d]
2. "ga"   Oclusiva sonora   [g]
3. "da"   Fricativa sonora   [ð]
4. "bue"   Fricativa sorda   [β]
5. "huel"   Lateral sonora   [l]
6. "xi"   Fricativa sorda   [x]
7. "do"   Fricativa sonora   [ð]
8. "ge"   Fricativa sorda   [x]
9. "te"   Oclusiva sorda   [t]
10. "ra"   Vibrante simple sonora   [θ]

3.4. Consonantes velares

1. "co"   [k]
2. "guin"   [g]
3. "qui"   [k],   "jo"   [x],   "co"   [k]
4. agua   [ɣ]
5. "huel"   [w],   "ga"   [ɣ]
6. "xi"   [x],   "ca"   [k]
7. "que"   [k],   "ji"   [x]
8. "ge"   [x]
9. juerga   [x],   "ga"   [ɣ]
10. cuna   [k]

3.5. Signos fonéticos

1. [tʃ],   2. [l],   3. [ʝ],   4. [s],   5. [x],   6. [ɲ],   7. [p],   8. [r],   9. [dʒ],   10. [k]

3.6. Palabras y sonidos

1. [m] montaña   5. [d] diente   9. [f] fiera
2. [p] pepino   6. [s] solitario   10. [o] oso
3. [r] ratón   7. [ɲ] ñandú
4. [e] ensalada   8. [u] uña

3.7. Descripción articulatoria

1. Alveolar fricativa sorda
2. Velar fricativa sonora
3. Velar oclusiva sonora
4. Velar fricativa sorda
5. Alveolar fricativa sonora
6. Palatal nasal sonora
7. Bilabial fricativa sonora
8. Palatal fricativa sonora
9. Alveolar vibrante simple sonora
10. Velar oclusiva sorda
11. Dental fricativa sonora
12. Bilabial oclusiva sorda
13. Dental oclusiva sorda
14. Palatal lateral sonora
15. Alveolar nasal sonora
16. Bilabial oclusiva sonora
17. Alveolar vibrante simple sonora
18. Alveolar lateral sonora
19. Bilabial nasal sonora
20. Laríngea fricativa sorda

3.8. Transcripción fonética

1. [xe-ɾi̯a-'tɾi-a]
2. [aɾ-ke-'o-lo-ɣo]
3. [kaɾ-te-'ɾis-ta]
4. ['i-ɣa-ðo]
5. [al-ka-'tʃo-fa]
6. [ka-'re-ta]
7. [xe-'fa-θo] / [xe-'fa-so]
8. [kas-'ta-ɲa]
9. ['di̯a-ɾio]
10. ['i-βɾi-ðo]
11. [si-'lo-fo-no]
12. [ka-'re-ta]
13. [a-βla-ðu-'ɾi-as]
14. [seu̯-'ðo-ni-mo]
15. [e- ra-'ðu-ɾa]

3.9. ¿Verdadero o falso?

Verdadero: 4, 7, 9, 11, 15, 17, 19, 22.

Falso: 1, 2, 3, 5, 6, 8, 10, 12, 13, 14, 16, 18, 20, 21, 22, 24, 25.

3.10. Prueba de autoevaluación

Las respuestas se encuentran al final del *Cuaderno de ejercicios.*

Fonología: Los fonemas del español

4

4.1. Grafías, alófonos y fonemas

		Alófonos	Fonemas
1.	"b"	[β b]	/b/
2.	"c"	[s], [k ɣ]	/s/, /k/
3.	"h"	ninguno	ninguno
4.	"s"	[s z]	/s/
5.	"ñ"	[ɲ]	/ɲ/
6.	"x"	[ks ɣs], [s]	[ks], [s]
7.	"u"	[u u̯] , [u̯]	/u/, /u̯/
8.	"v"	[β b]	/b/
9.	"l"	[l]	/l/
10.	"z"	[s z]	/s/
11.	"n"	[n m ɱ ɲ n̪ ɳ́ ŋ]	/n/
12.	"r"	[ɾ], [r]	/ɾ/, /r/
13.	"qu"	[k]	/k/
14.	"g"	[g ɣ], [x]	/g/, /x/
15.	"ch"	[tʃ]	/tʃ/

4.2. Palabras, sonidos y pares mínimos

1. Vibrante múltiple alveolar sonoro + Vibrante simple alveolar sonoro

   [r] + [ɾ] raro/raso

2. Fricativo bilabial sonoro + Fricativo dental sonoro + Fricativo velar sonoro

   [β] + [ð] + [ɣ] abogado/avocado

3. Oclusivo bilabial sonoro + Vibrante simple alveolar sonoro

   [b] + [ɾ] brío/brío

4. Lateral alveolar sonoro + Oclusivo dental sordo + Nasal alveolar sonoro

   [l] + [t] + [n] latón/latón

5. Africado palatal sordo + Oclusivo dental sordo

   [tʃ] + [t] techo/pecho

6. Nasal alveolar sonoro + Nasal bilabial sonoro

   [n] + [m] mono/moño

7. Oclusivo bilabial sordo + Vibrante múltiple alveolar sonoro + Fricativo alveolar sordo

   [p] + [r] + [s] porras/parras

8. Oclusivo velar sordo + Fricativo velar sordo

   [k] + [x] cojo/coco

9. Vibrante múltiple alveolar sonoro + Fricativo dental sonoro

[r] + [ð] rueda/rueca

10. Oclusivo velar sordo + Fricativo interdental sordo + Fricativo dental sonoro

[k] + [θ] + [ð] cazado/casado

4.3. Reconociendo fonos en un entorno fonológico

1. [β] Fricativo bilabial sonoro
2. [z] Fricativo alveolar sonoro
3. [m] Nasal labiodental sonoro
4. [ɲ] Nasal palatal sonoro
5. [ks] [k] Oclusivo velar sordo
   [s] Fricativo alveolar sordo
6. [i] Alto anterior no redondeado
7. [ð] Fricativo dental sonoro
8. [s] Fricativo alveolar sordo
9. No hay sonido
10. [ŋ] Nasal velar sonoro

11. [l̪] Lateral dental sonoro
12. [x] Fricativo velar sordo
13. [r] Vibrante simple alveolar sonoro
14. [m] Nasal bilabial sonoro
15. [d] Oclusivo dental sonoro
16. [l] Lateral alveolar sonoro
17. [ð] Fricativo dental sonoro
18. [k] Oclusivo velar sordo
19. [n̪] Nasal dental sonoro
20. [θ] Fricativo interdental sordo

4.4. Alófonos y fonemas

1. Alófono: [h]
   Fonema: /s/ /x/
2. Alófono: [z]
   Fonema: /s/
3. Alófono: [ɲ]
   Fonema: /n/ /ɲ/
4. Alófono: [f]
   Fonema: /f/
5. Alófono: [ɣ]
   Fonema: /g/

6. Alófono: [θ]
   Fonema: /θ/
7. Alófono: [tʃ]
   Fonema: /tʃ/
8. Alófono: [l]
   Fonema: /l/
9. Alófono: [ŋ]
   Fonema: /n/
10. Alófono: [ð]
    Fonema: /d/

4.5. Procesos fonológicos

1. Metátesis ("perlado"), síncopa de [d] intervocálica, aféresis de consonante inicial ([d]) y paragoge de [n] al pronombre átono "se"
2. Enlace de [s] y [a] y sinalefa
3. Síncopa de [o] y de [i]
4. Sinalefa, elevación y diptongación, seseo
5. Aféresis de [e], enlace de [o] y [s], enlace de [n] y [e]

4.6. Cada oveja con su pareja

1. h, 2. d, 3. b, 4. i, 5. g, 6. a, 7. j, 8. f, 9. e, 10. c

4.7. Transcripción fonológica

1. /kondekoraˈsi̯ones/, /kondekoraˈθi̯ones/
2. /xeomeˈtɾia/
3. /xilˈɡeɾo/
4. /tʃanpiˈɲon/
5. /kunpleˈaɲos/
6. /ai̯ˈxada/
7. /siˈki̯atɾa/
8. /aˈplomo/
9. /abeɾanteˈmente/
10. /subteˈɾaneo/
11. /eˈlados/
12. /toɾˈtaso/, /toɾˈtaθo/
13. /kaldeˈado/
14. /anˈfibi̯o/
15. /inkuˈɾable/

4.8. Transcripción fonológica y fonética

1. /inbiˈdente/ — [im-bi-ˈðen̪-te]
2. /esboˈsado/ — [ez-βoˈsa-ðo]
   /esboˈθado/ — [ez-βo-ˈθa-ðo]
3. /antiɡueˈdades/ — [an̪-ti-ɣu̯e-ˈða-ðes]
4. /biˈbensi̯a/ — [bi-ˈβen-si̯a]
   /biˈbenθi̯a/ — [bi-ˈβen-θia]
5. /eˈɾunbre/ — [e-ˈɾum-bre]
6. /intensi̯onadaˈmente/ — [in̪-ten-si̯o-na-ða-ˈmen̪-te]
   /intenθionadamente/ — [in̪-ten-θi̯o-na-ða-ˈmen̪-te]
7. /bulneɾabiliˈdad/ — [bul-ne-ɾa-βi-li-ˈðað]
8. /inɟekˈsi̯on/ — [iɲ-ɟeɣ-si̯on]
   /inɟekˈθi̯on/ — [iɲ-ɟeɣ-θi̯on]
9. /xeneɾaliˈsable/ — [xe-ne-ɾa-li-ˈsa-βle]
   /xeneɾaliˈθable/ — [xe-ne-ɾali-ˈθa-βle]
10. /biˈdente/ — [bi-ˈðen-te]

4.9. ¿Verdadero o falso?

Verdadero: 2, 6, 8, 9, 10, 14, 16, 20, 22.

Falso: 1, 3, 4, 5, 7, 11, 12, 13, 15, 17, 18, 19, 21, 23, 24, 25.

4.10. Prueba de autoevaluación

Las respuestas se encuentran al final del *Cuaderno de ejercicios.*

Morfología: Forma y función de las palabras

5.1. Localizar morfemas

1. **dud:** M. léxico **a:** M. estructural **r:** M. estructural

2. **niñ:** M. léxico **er:** M. léxico **a:** M. estructural

3. **gent:** M. léxico **uza:** M. léxico

4. **aspir:** M. léxico **a:** M. estructural **ción:** M. léxico

5. **de:** M. léxico **capit:** M. Léxico **a:** M. estructural **r:** M. estructural

6. **veint:** M. léxico **i:** M. estructural **dos:** M. léxico

7. **viaj:** M. léxico **a:** M. estructural **ba:** M. estructural

8. **a:** M. léxico **te:** M. léxico **a:** M. estructural

9. **triste:** M. léxico **mente:** M. léxico

10. **est:** M. léxico **uv:** M. estructural **e:** M. estructural

5.2. Palabras flexionadas

<u>Nota:</u> Las respuestas pueden variar en este ejercicio.

1. salvo, salvaba
2. perrita, perritos
3. peluquera, peluqueros
4. cortaba, cortaría
5. vinimos, vinieron
6. sabida, sabidos
7. ellas, ellos
8. computador, computadoras
9. sabio, sabias
10. éstos, ésta

5.3. Alomorfos

1. Infinitivo: poder
   Alomorfos: pod-, pued-, pud-
2. Infinitivo: salir
   Alomorfos: sal-, salg-, saldr-
3. Infinitivo: dormir
   Alomorfos: dorm-, durm-
4. Infinitivo: poner
   Alomorfos: pon-, pong-, pondr-, pus-
5. Infinitivo: decir
   Alomorfos: dec-, dir-, dij-, dig-, dic-
6. Infinitivo: ser
   Alomorfos: s-, er-, fu-
7. Infinitivo: venir
   Alomorfos: ven-, vin-, veng-, vien-, vendr-
8. Infinitivo: tener
   Alomorfos: ten-, tien-, teng-, tuv-, tendr-

9. Infinitivo: querer

    Alomorfos: quer-, querr-, quis-, quier-,

10. Infinitivo: hacer

    Alomorfos: hac-, hic-, hiz-, har-, hag-

5.4. Palabras derivadas

<u>Nota:</u> Las respuestas pueden variar en este ejercicio.

1. aguacero, aguar
2. chocolatería, chocolateado
3. natación, nadador
4. celeste, cielito
5. babladuría, hablador
6. zapatero, zapatería
7. tetera, tetería
8. telefonista, telefonear
9. presentación, presentador
10. casero, casita

5.5. ¿Afijos flexionales o derivativos?

1. Radical: flecha

   Palabras flexionadas: flechas

   Palabras derivadas: flechar, flechazo, flecharemos

2. Radical: dictador

   Palabras flexionadas: dictadores

   Palabras derivadas: dictadura, dictaduras, dictatorial, dictatorialmente

3. Radical: agua

   Palabras flexionadas: aguas

   Palabras derivadas: aguada, aguamos, aguacero

4. Radical: lindo

   Palabras flexionadas: linda

   Palabras derivadas: lindísimo, lindeza, lindura

5. Radical: nieve

   Palabras flexionadas: nevó

   Palabras derivadas: nevar, nevada, neviscar

6. Radical: casa

   Palabras flexionadas: casas

   Palabras derivadas: casucha, casona, casero, casilla

7. Radical: fono

   Palabras flexionadas: fonos

   Palabras derivadas: alófono, fonética, eufonía, teléfono

8. Radical: aceite

   Palabras flexionadas: aceites

   Palabras derivadas: aceituna, aceitar, aceitoso

9. Radical: hacer

   Palabras flexionadas: hechos

   Palabras derivadas: deshacer, contrahecho, rehacer

10. Radical: lluvia

    Palabras flexionadas: llueve

    Palabras derivadas: llover, llovizna, llueve, lluvioso

5.6. Palabras compuestas

Nota: Las respuestas pueden variar en este ejercicio.

1. caradura, cara de poker
2. lavaplatos, lavavajillas
3. crecepelo, pelirrojo
4. casa cuna, casa de comidas
5. café concierto, café con leche
6. portalápiz, afilalápiz
7. parasol, paracaídas
8. agridulce, dulce de leche
9. portarrollos, portaviones
10. pisapapeles, papel de fotos

5.7. Familia de palabras

Nota: Las respuestas pueden variar en este ejercicio.

1. Flexión: flores
   Derivación: floreado
   Composición: Flor de Pascua
2. Flexión: limpiaba
   Derivación: limpiador
   Composición: limpiaventanas
3. Flexión: drogas
   Derivación: drogarse
   Composición: drogadicto
4. Flexión: cuentos
   Derivación: contar
   Composición: cuentacuentos
5. Flexión: abrimos
   Derivación: abridor
   Composición: abrelatas

6. Flexión: dientes
   Derivación: dentadura
   Composición: mondadientes
7. Flexión: manos
   Derivación: manual
   Composición: balonmano
8. Flexión: corté
   Derivación: corte
   Composición: cortauñas
9. Flexión: pies
   Derivación: pedal
   Composición: besapié
10. Flexión: mataste
    Derivación: matadero
    Composición: matasellos

5.8. Creación de neologismos

Nota: Las respuestas pueden variar en este ejercicio

5.8.a. 1. bolápiz 2. prerror 3. frío de lana 4. treer 5. camisetear 6. rurbano

5.8.b. 1. Para las paredes de tu hogar, Paredex: la mejor pintura del mercado.
Si de verdad quiere renovar su casa, no pinte: use Paredex y ¡dele luz a sus paredex!

2. Bemox: la nueva generación de bemoxeadoras.

3. ¿Tú blanqueas o blancaxeas tu ropa? Usa Blancax, el único detergente en el mercado que deja tu ropa más que blanca.

4. Para empezar el día con energía, tómate una maizfloqueante taza de leche. Maizfloc: el cereal oficial de las Olimpiadas

5. La próxima vez que salgas a correr, cálzate tus nuevas zapatillas *Velocex* y siéntete más que un campeón: ¡siéntete velocex!

5.9. ¿Verdadero o falso?

Verdadero: 4, 6, 7, 9, 14, 15, 16, 18, 21, 22, 23
Falso: 1, 2, 3, 5, 8, 10, 11, 12, 13, 17, 19, 20, 24, 25

5.10. Prueba de autoevaluación

Las respuestas se encuentran al final del *Cuaderno de ejercicios*.

Sintaxis I: La estructura de las oraciones

6

6.1. Funciones sintácticas y semánticas

1. Sujeto: "Yo"
   Objeto directo: "la información"
   Objeto indirecto: "tu hermano"
   Actor: Yo
   Paciente: "la información"
   Beneficiario: "tu hermano"

2. Sujeto: "La actriz"
   Objeto directo: -
   Objeto indirecto: -
   Actor: "Los mejores cirujanos"
   Paciente: "La actriz"
   Beneficiario: -

3. Sujeto: "El entrenador"
   Objeto directo: "los jugadores"
   Objeto indirecto: -
   Actor: "El entrenador"
   Paciente: "los jugadores"
   Beneficiario: -

4. Sujeto: "Verónica"
   Objeto directo: "una bonita falda"
   Objeto indirecto: "me"
   Actor: "Verónica"
   Paciente: "una bonita falda"
   Beneficiario: "me" (= yo)

5. Sujeto: "El pasaporte"
   Objeto directo: -
   Objeto indirecto: "a los viajeros"
   Actor: "Los oficiales de aduanas"
   Paciente: "el pasaporte"
   Beneficiario: "a los viajeros"

6.2. Oraciones pasivas

1. El nuevo empleado quizás haya sido ya despedido por la jefa.
2. El proyecto tiene que ser terminado por Beatriz inmediatamente.
3. La antigua mansión estaba siendo renovada por los albañiles.
4. Las bacterias deben ser manipuladas por los científicos con mucho cuidado.
5. El pavo continúa siendo horneado por el cocinero.

6.3. Sintagmas adjetivales, preposicionales y adverbiales

1. SAdj: "excelentes" (complementa a "amigos")
2. Sprep: "de Caperucita Roja" (complementa a "abuela")
3. SAdj: "nueva" (complementa a "casa")
4. Sprep: "de Paco y Lucía" (complementa a "problemas")
5. Sprep: "a la piscina" (complementa a "iremos")
   SAdv: "mañana" (complementa a "iremos")
6. SAdv: "ayer" (complementa a "fueron")
   Sprep: "del examen" (complementa a "preguntas")
   SAdj: "fáciles" (complementa a "fueron")

7. SAdv: "atentamente" (complementa a "vigila")

   Sprep: "desde la ventana" (complementa a "vigila")

8. Sprep: "con usted" (complementa a "hablar")

   SAdv: "siempre" (complementa a "es")

   SAdj: "enorme" (complementa a "placer")

9. Sprep: "por tu amor" (complementa a "iría")

   Sprep: "al fin del mundo" (complementa a "iría")

   Sprep: "del mundo" (complementa a "fin")

10. SAdv: "nunca" (complementa a "he dudado")

    Sprep: "de la palabra de un buen amigo" (complementa a "he dudado")

    Sprep: "de un buen amigo" (complementa a "palabra")

6.4. Transformaciones

1. Proceso(s) de transformación:

   Eliminación del sujeto, sustitución del objeto directo por el clítico "la" (pronominalización) y transposición del mismo.

2. Proceso(s) de transformación:

   Eliminación del sujeto, sustitución del objeto directo por el clítico "las" (pronominalización), sustitución del objeto indirecto por el clítico "se" (= "le") (pronominalización) y transposición de los clíticos.

3. Proceso(s) de transformación:

   Inserción del clítico "la" y tematización del objeto directo

4. Proceso(s) de transformación:

   Eliminación del sujeto, sustitución del objeto directo por el clítico "la" (pronominalización), sustitución del objeto indirecto por el clítico "os" (pronominalización) y transposición de los clíticos.

5. Proceso(s) de transformación:

   Eliminación del sujeto, sustitución del objeto directo por el clítico "los" (pronominalización) y transposición del mismo.

6. Proceso(s) de transformación:

   Eliminación del sujeto y tematización del complemento de tiempo

7. Proceso(s) de transformación:

   Sustitución del objeto indirecto por el clítico "se" (pronominalización) y del objeto directo por el clítico "la" (pronominalización), y transposición de los clíticos.

8. Proceso(s) de transformación:

   Eliminación del sujeto, tematización del objeto indirecto, inserción del clítico "se" (= "les"), sustitución del objeto directo por el clítico "las" (pronominalización) y transposición de los clíticos.

9. Proceso(s) de transformación:

   Oración 1: Eliminación del sujeto, sustitución del objeto directo por el clítico "la" (pronominalización) y transposición del mismo.

   Oración 2: Eliminación del sujeto, sustitución del objeto directo por el clítico "la" (pronominalización), sustitución del objeto indirecto por el clítico "se" (= "le") (pronominalización) y transposición de los clíticos.

10. Proceso(s) de transformación:

    Eliminación del sujeto, tematización del objeto directo e inserción del clítico "la"

6.5. Tipos de oraciones

1. Tipo: Declarativa
   a. Oración negativa: Las galletas de coco no le gustan a Eloísa
   b. Oración interrogativa (confirmatoria): A Eloísa le encantan las galletas de coco, ¿no?
   c. Oración exclamativa: ¡Cómo le gustan las galletas de coco a Eloísa!

2. Tipo: Exclamativa
   a. Oración declarativa: Siempre tienes malas notas
   b. Oración negativa: Nunca tienes malas notas

3. Tipo: Imperativa
   a. Oración negativa: No quiero que me ayudes a hacer las tareas
   b. Oración interrogativa (sí/no): ¿Me ayudas a hacer las tareas?

4. Tipo: Imperativa
   a. Oración declarativa: Si no te callas, me enfadaré
   b. Oración interrogativa (disyuntiva): ¿Quieres callarte o prefieres que me enfade?

5. Tipo: Declarativa
   a. Oración negativa: El electricista no vendrá cuando tenga tiempo
   b. Oración interrogativa (con pronombre o adverbio interrogativo): ¿Cuándo vendrá el electricista?

6.6. Clases de verbos

1. Verbo ditransitivo: "escribió"
2. Verbo transitivo directo: "he visto"
3. Verbo transitivo indirecto: "aterrorizan"
4. Verbo copulativo: "parece"
   Verbo copulativo: "estuviste"
5. Verbo transitivo directo: "tengo"
6. Verbo de régimen: "estoy pensando en"
7. Verbo transitivo directo: "como"
   Verbo copulativo: "estoy"
8. Verbo ditransitivo: "he comprado"
9. Verbo intransitivo: "nevó"
10. Verbo intransitivo: "trabaja"

6.7. Diagramas con corchetes

1. [O [SN Elisa] [SV [V hablaba] [SAdv tímidamente] [SPrep de su esposo]]]
2. [O [SN El bebé] [SV [V tomaba] [SN leche] [SPrep con el biberón]]]
3. [O [SN Ellos] [SV [V han comprado] [SN el regalo] [SPrep para el graduado]]]
4. [O [SN San Francisco] [SV [V es] [SN una ciudad preciosa]]]
5. [O [SN Laura] [SV [V llegó] [SAdv tarde] [SPrep al concierto]]]
6. [O [SN El tren] [SV [V viaja] [SAdv alegremente] [SPrep hacia el sur]]]
7. [O [SN Nadie] [SV [V conoce] [SN a Sofía] [SPrep en profundidad]]]
8. [O [SN Javier y Marcos] [SV [V trabajan] [SAdv bien] [SPrep en equipo]]]
9. [O [SN Los restaurantes] [SV [Vson] [SAdj excelentes] [SAdv aquí] [SPrep en San Francisco]]]
10. [O [SN Los maestros] [SV [V observan] [SN a los alumnos] [SPrep desde la ventana]]]

6.8. Diagramas arbóreos

Nota: DA = Determinante artículo

DP = Determinante posesivo

1. Tenemos muchos amigos alemanes.

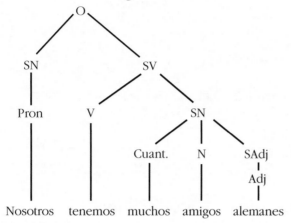

2. La policía detuvo anoche al* ladrón con la ayuda de los vecinos.

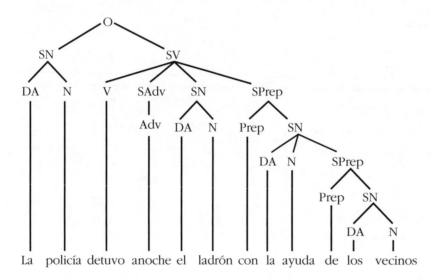

*La "a" personal se introduce por transformación.

3. La sintaxis estudia la organización de palabras en oraciones.

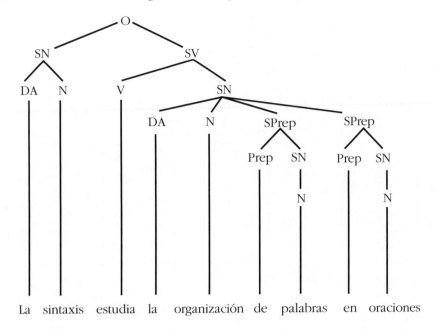

4. He comprado una falda de algodón blanca.

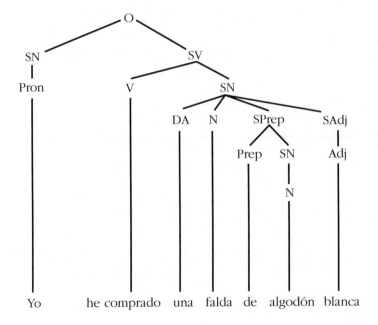

5. El examen de ingreso fue difícil para muchos estudiantes extranjeros.

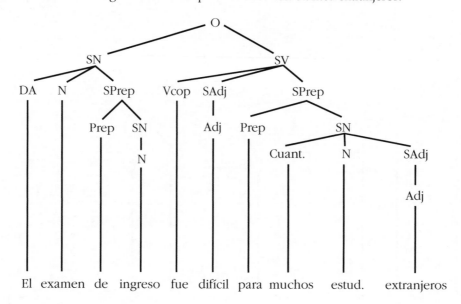

6.9. ¿Verdadero o falso?

Verdadero: 2, 4, 6, 7, 10, 11, 12, 13, 20, 21, 23, 24, 25

Falso: 1, 3, 5, 8, 9, 14, 15, 16, 17, 18, 19, 22

6.10. Prueba de autoevaluación

Las respuestas se encuentran al final del *Cuaderno de ejercicios.*

Sintaxis II: Algunas estructuras específicas

7.1. Pronombres clíticos

Nota: OD = Objeto directo

      OI = Objeto indirecto

1. Pronombre (s) clítico(s): Nos
   Función: OI

2. Pronombre (s) clítico(s): Se
   Función: OI Reflexivo

3. Pronombre (s) clítico(s): Te
   Función: OI

4. Pronombre (s) clítico(s): Lo
   Función: OD

5. Pronombre (s) clítico(s): Les
   Función: OI

6. Pronombre (s) clítico(s): Se
   Función: Actor indeterminado

7. Pronombre (s) clítico(s): La
   Función: OD

8. Pronombre (s) clítico(s): Se/Las
   Función: OI/OD (respectivamente)

9. Pronombre (s) clítico(s): Me
   Función: OI

10. Pronombre (s) clítico(s): Se/Se
    Función: Recíproco/Reflexivo intrínseco (respectivamente)

7.2. Oraciones simples (I): reflexivas, recíprocas y de sujeto nulo

Nota: Los números entre paréntesis se refieren a la oración donde está la oración.

1. Oraciones reflexivas:

   "Yo me estaba sirviendo algo de beber" (6)

   "Jorge se estaba preparando la tercera hamburguesa" (6)

2. Oraciones recíprocas:

   "María [...] y yo nos saludamos" (3)

   "No nos volvimos a hablar en toda la noche" (3)

3. Oraciones de sujeto nulo:

   "Había muchas personas invitadas [...]" (2)

   "Hace mucho tiempo [...]" (4)

   "Empezó a hacer un viento terrible" (6)

   "Comenzó a llover fuertemente" (7)

   "Hubo que suspender la fiesta" (7)

7.3. Oraciones simples (II): "Se" indeterminado

1. Se bañó a las niñas por la tarde.

2. Se hace lo que se puede para mantenerse en forma.

3. Se limpian las escaleras de nuestro bloque de apartamentos todos los días.

4. Se dicen muchas tonterías cuando se está enfadado.

5. Habitualmente se vigilaba a los prisioneros desde la torre.

7.4. Tipos de oraciones

1. Tipo: Compuesta/Subordinada adjetiva
2. Tipo: Simple/Recíproca
3. Tipo: Compuesta/Coordinada
4. Tipo: Simple/Pasiva
5. Tipo: Compuesta/Coordinada
6. Tipo: Compuesta/Subordinada (adverbial)
7. Tipo: Simple/Sujeto nulo
8. Tipo: Simple/"Se" indeterminado
9. Tipo: Compuesta/Coordinada
10. Tipo: Simple/Actor indeterminado

7.5. Oraciones complejas: coordinación y subordinación

1. **Conjunciones coordinantes**

   Línea 1: Ninguna   Línea 5: Ninguna

   Línea 2: Ninguna   Línea 6: "pero"

   Línea 3: "y"   Línea 7: "o"

   Línea 4: "e"

2. **Conjunciones subordinantes**

Línea 1: "que"	Oración subordinada adjetiva
"cuando"	Oración subordinada adverbial
Línea 2: "que"	Oración subordinada adjetiva
Línea 3: "Aunque"	Oración subordinada adverbial
Línea 4: "Como"	Oración subordinada adverbial
Línea 5: "A pesar de que"	Oración subordinada adverbial
Línea 6: "(Al) que"	Oración subordinada adjetiva
Línea 7: Ninguna	

7.6. Localización de oraciones subordinadas

1. Oración subordinada: "Que va a obtener una buena nota"

   Tipo: Adjetiva

   Complementa a: "Estudiante"

2. Oración subordinada: "Porque las preguntas son fáciles"

   Tipo: Adverbial

   Complementa a: "Gustan"

3. Oración subordinada: "Que cocina tan bien"

   Tipo: Adjetiva

   Complementa a: "Novio"

4. Oración subordinada: "Que me quieras"

   Tipo: Sustantiva

   Complementa a: "Quiero"

5. Oración subordinada: "Cuando el semestre se acabe"

   Tipo: Adverbial

   Complementa a: "Iré"

6. Oración subordinada: "Que me gusta"

   Tipo: Adjetiva

   Complementa a: "Chico"

7. Oración subordinada: "Que se depile las piernas"

   Tipo: Sustantiva

   Complementa a: "Deseo"

8. Oración subordinada: "Cuando yo me ponga un pendiente en el ombligo"

   Tipo: Adverbial

   Complementa a: "Depilará"

9. Oración subordinada: "Porque eso duele mucho"

   Tipo: Adverbial

   Complementa a: "Haré"

10. Oración subordinada: "Que voy a buscar a otro novio menos exigente"

    Tipo: Sustantiva

    Complementa a: "Creo"

7.7. El subjuntivo

1. f,   2. b,   3. e–i,   4. j,   5. c,   6. g,   7. d,   8. a–h,

7.8. Diagramas arbóreos

Nota: DA = Determinante Artículo

DP = Determinante Posesivo

PR = Pronombre Reflexivo

1. Creo que Gabriela no sabe que su hermano no preparó la fiesta.

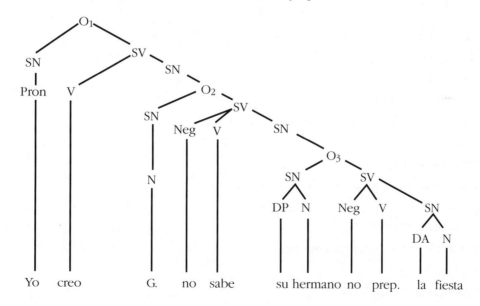

2. Pilar compró los regalos e Ignacio los envolvió con papel de seda

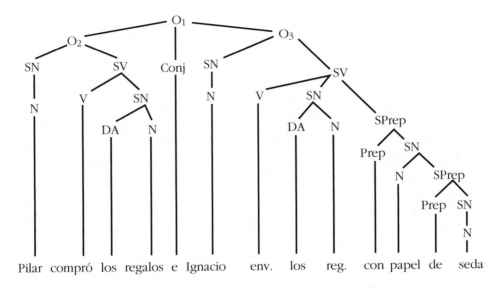

3. Como no tengo tiempo, no iré a la fiesta que recomendaron Pepe y Lucía

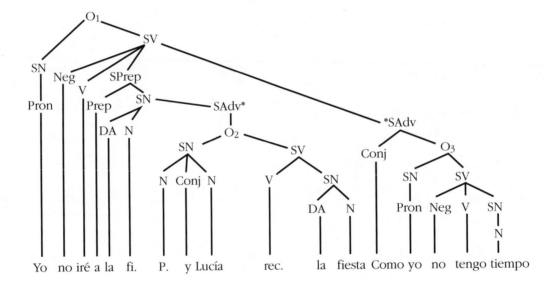

Answer Key to Accompany Introducción a la lingüística española, 3/e

4. ¿Quieres que las niñas que no estuvieron en el cumpleaños de Lorena vayan con nosotras al cine?

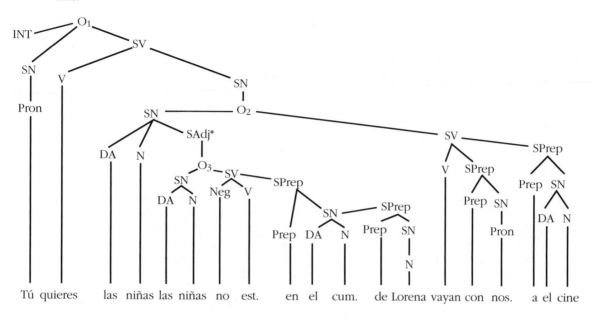

5. Se miró en el espejo, pero no vio que hubiera huellas de lágrimas en su cara.

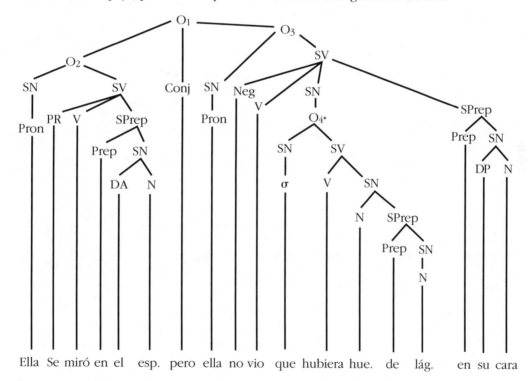

7.9. ¿Verdadero o falso?

Verdadero: 7, 8, 9, 10, 11, 14, 15, 16, 17, 18, 19, 20, 23, 25

Falso: 1, 2, 3, 4, 5, 6, 12, 13, 21, 22, 24

7.10. Prueba de autoevaluación

Las respuestas se encuentran al final del *Cuaderno de ejercicios.*

Variación temporal

8

8.1. Cambios vocálicos (I)

1. Proceso(s): Monoptongación y abertura de la vocal final
2. Proceso(s): La /u/ breve tónica se articula más abierta, como /o/
3. Proceso(s): Diptongación /o/ breve tónica y abertura de la vocal final
4. Proceso(s): Prótesis de /e/ y monoptongación
5. Proceso(s): Diptongación /e/ breve tónica
6. Proceso(s): Diptongación /o/ breve tónica y abertura de la vocal final
7. Proceso(s): Síncopa de /i/ pretónica y apócope de /e/
8. Proceso(s): Prótesis de /e/ y abertura de la vocal final
9. Proceso(s): La /i/ breve tónica se articula más abierta, como /e/
10. Proceso(s): Monoptongación y apócope de /e/

8.2. Cambios vocálicos (II)

1. a. tiempo   b. fuerte   c. puerto   d. diez   e. cuerpo
2. a. toro   b. edad   c. poco   d. preceder   e. fecundo

8.3. Cambios consonánticos (I)

1. Proceso(s): Palatalización
2. Proceso(s): Metátesis
3. Proceso(s): Palatalización
4. Proceso(s): Reducción de consonantes geminadas
5. Proceso(s): Palatalización
6. Proceso(s): Sonorización de la consonante sorda intervocálica
7. Proceso(s): Sonorización de la sorda intervocálica y palatalización
8. Proceso(s): Palatalización
9. Proceso(s): Palatalización y metátesis
10. Proceso(s): Desaparición /f/ inicial latina

8.4. Cambios consonánticos (II)

1. a. lágrima   b. cadena   c. padre   d. aguda   e. hormiga
2. a. señor   b. lecho   c. lleno   d. mucho   e. palacio
3. a. hacer   b. estrofa   c. reina   d. ver   e. humo

8.5. Cambios morfológicos

1. Cambios: Pérdida del sufijo flexional -*ior* que señalaba la forma comparativa de los adjetivos, (*amabile* + *ior*) reemplazado por la construcción *magis* + ADJ + *quam*, que dio origen a *más* + ADJ + *que*.

2. Cambios: Pérdida del sufijo de declinación del sustantivo (en el ejemplo, del caso genitivo, o posesivo, *reginAE*) y sustitución por construcciones con la preposición *de*.

3. Cambios: Desaparición de las terminaciones de la voz pasiva (*vincebantur*), reemplazadas por la construcción *ser + participio* (*eran vencidas*)

4. Cambios: Pérdida de la forma verbal del futuro (*amabo, amabis, amabit*), reemplazada por la nova forma del futuro (*amaré, amarás, amará*)

5. Cambios: Desaparición de las terminaciones de la voz pasiva (*faciuntur < facere* 'hacer') reemplazadas por la construcción *ser + participio*.

8.6. Cambios sintácticos

1. Cambios: El pronombre clítico pospuesto al verbo.

2. Cambios: Uso de *haber* con el significado de *tener, poseer*

3. Cambios: Uso de la secuencia pronominal *gela* (= mod. *se la*)

4. Cambios: Empleo del verbo *ser* como auxiliar de verbo intransitivo

5. Cambios: Verbo conjugado (*he*) pospuesto al verbo (*empeñar*)

   Expresión de la perífrasis de obligación con haber

   Uso de la secuencia pronominal *gelo* (= mod. *se lo*)

8.7. Dobletes

1. Término patrimonial: llave
   Término culto o semiculto: clave

2. Término patrimonial: ancho
   Término culto o semiculto: amplio

3. Término patrimonial: pesar
   Término culto o semiculto: pensar

4. Término patrimonial: colgar
   Término culto o semiculto: colocar

5. Término patrimonial: ahijado
   Término culto o semiculto: afiliado

6. Término patrimonial: llamar
   Término culto o semiculto: clamar

7. Término patrimonial: mancha
   Término culto o semiculto: mácula

8. Término patrimonial: entero
   Término culto o semiculto: íntegro

9. Término patrimonial: estrecho
   Término culto o semiculto: estricto

10. Término patrimonial: madera
    Término culto o semiculto: materia

8.8. El origen del léxico español
Grupo A

1. Anglicismos (préstamos del inglés): champú, cheque, club, fútbol, rapear, reality show, talk show, top model

2. Americanismos (préstamos de las lenguas indígenas de América): patata, chocolate, tabaco, tomate, maíz, café, cacahuete, cóndor

3. Calcos: disco compacto, balompié, balonmano

Grupo B

1. Cultismos y semicultismos: tristísimo, posibilidad, óleo, fortísimo, pleno, paciencia, ánima, capítulo, falso, siglo

2. Arabismos (préstamos del árabe): azahar, albaricoque, aceite, alfombra, azúcar, almohada, almendra, azar, zaguán

8.9. ¿Verdadero o falso?

Verdadero: 1, 7, 9, 15, 16, 18, 20, 21, 22, 24, 25

Falso: 2, 3, 4, 5, 6, 8, 10, 11, 12, 13, 14, 17, 19, 23

8.10. Prueba de autoevaluación

Las respuestas se encuentran al final del ***Cuaderno de ejercicios***.

Variación regional

9.1. El español en España

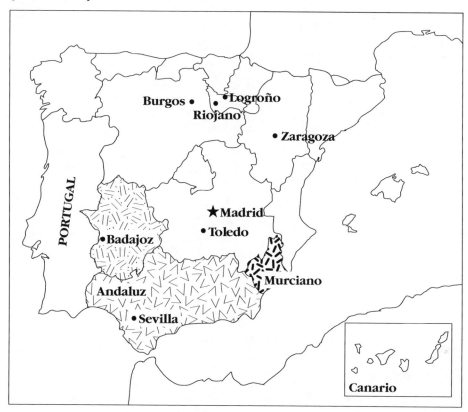

Distribución aproximada de las modalidades regionales del español en España:

1. Castellano (Norte y centro de la Península Ibérica)

2. Andaluz (Andalucía)

3. Extremeño (Extremadura)

4. Riojano (La Rioja)

5. Murciano (Murcia)

6. Canario (Islas Canarias)

Nótese que el castellano se habla también en todas las regiones bilingües (Cataluña, Valencia, Baleares; Galicia; País Vasco)

9.2. El español en Hispanoamérica

1. México

2. Sur de México, Península del Yucatán y Centroamérica (Guatemala, El Salvador, Honduras, Nicaragua, Costa Rica y Panamá)

3. Caribe: Cuba, Puerto Rico, República Dominicana y regiones costeñas de Colombia, Centroamérica y parte de México
4. Región andina: Tierras altas de Venezuela, Colombia, Ecuador, Perú, Bolivia y norte de Chile
5. Región central y sureña de Chile
6. Río de la Plata: Argentina, Uruguay y Paraguay

9.3. Leísmo, loísmo y laísmo

1. Versión estándar: Hace dos días que le envié el mensaje a José y aún no ha contestado

   Proceso(s): Loísmo

2. Versión estándar: ¿Lo llevaste ya a Juanito al circo?

   Proceso(s): Leísmo

3. Versión estándar: Le dije a Pilar que fuera a Valladolid.

   Proceso(s): Laísmo

4. Versión estándar: A Pedro uno de sus amigos le pegó un bofetón en la cara y luego se escondió para que no lo viéramos.

   Proceso(s): Loísmo/Leísmo

5. Versión estándar: ¿Qué le pasa a tu niña, no le gusta la comida?

   Proceso(s): Laísmo

6. Versión estándar: Tengo que comprarle un regalo a mi hermano.

   Proceso(s): Loísmo

7. Versión estándar: Las llamé por teléfono para preguntarles por su examen.

   Proceso(s): Laísmo

8. Versión estándar: A José lo noté triste porque su novia lo había abandonado.

   Proceso(s): Leísmo

9. Versión estándar: Le pedí que me hiciera un favor y ella no quiso.

   Proceso(s): Laísmo

10. Versión estándar: A mis amigos les encanta la playa, pero nunca los veo allí.

    Proceso(s): Loísmo/Leísmo

9.4. Variantes dialectales

1. Versión estándar: Me he comprado un vestido colorado.

   Proceso(s): Síncopa de /d/ intervocálica

2. Versión estándar: María tiene una infección.

   Proceso(s): Seseo

3. Versión estándar: ¿Qué sabes tú, mi amorcito?

   Proceso(s): Verbo pospuesto, elisión /s/ implosiva, seseo y lambdacismo

4. Versión estándar: No sé si Isabelita querrá venir o si habrá vuelto ya a su casa

   Proceso(s): Formación de futuro en –dré, elisión consonante final /r/, síncopa de /d/ intervocálica y regularización participio irregular

5. Versión estándar: Los niños no saben hacer nada.

   Proceso(s): Elisión consonante final (/s/ y /r/) e intervocálica (/d/) y seseo

6. Versión estándar: ¡Qué ojos tan bonitos tienes!

   Proceso(s): Aspiración de /x/ y /s/ implosiva

7. Versión estándar: Mi marido es muy salado.

   Proceso(s): Síncopa /d/ intervocálica, aspiración /s/ y elisión de la deslizada (eliminación diptongo)

8. Versión estándar: Voy a comprar la leche para el niño.

   Proceso(s): Lambdacismo, elisión de consonante final (/r/) e intervocálica (/r/) y elisión de vocal /e/

9. Versión estándar: La abuela ha estado en el mercado

   Proceso(s): Elisión de vocal inicial /a/, velarización de /b/, síncopa de /d/ intervocálica y rotacismo

10. Versión estándar: ¿Qué pasa, niña, subes al coche o no?

    Proceso(s): Ceceo y aspiración /s/ final

9.5. El judeoespañol

<u>Nota:</u> Las palabras con asterisco son la traducción de términos del judeoespañol (entre paréntesis) que no tienen correspondiente etimológico en español.

En efecto, aunque el judeoespañol de hoy no es el que era hablado por las primeras generaciones de descendientes de los que fueron expulsados de España, aunque desde entonces esta lengua cambió bastante, con la inclusión de un gran número de palabras turcas, hebreas y francesas, a pesar de esto y de otros factores, ésta es todavía claramente una lengua española que puede ser entendida bastante fácilmente por los hispanohablantes de otros países y otras culturas. La supervivencia del judeoespañol es un fenómeno que deja intrigados y maravillados a los aficionados del hispanismo en las diversas partes del mundo. Aún más curiosa e interesante es la supervivencia no sólo de la lengua, sino de toda una cultura e incluso de una mentalidad española, en el seno de los sefarditas, los descendientes de los exilados.

¿Cómo puede explicarse este fenómeno del apego de esta comunidad a la lengua y cultura del país que la había tratado tan cruelmente? ¿Y a qué se debía el rechazo obstinado de los sefarditas a integrarse en la cultura del país que los había recibido tan generosamente, dándoles la posibilidad de empezar una nueva vida y prosperar en sus actividades económicas casi sin ninguna restricción?

Para responder a estas preguntas es necesario* (=kale) tomar en cuenta ciertos factores básicos. En primer lugar, que para los judíos expulsados de España, el español era su lengua materna, la lengua que ellos hablaban, leían* (=meldavan) y entendían mejor que cualquier otra, incluido el hebreo. Además, muchos de los expulsados eran parte de la elite cultural e intelectual de España. Entre ellos había escritores y poetas, sabios y maestros de escuela, médicos, cartógrafos, astrónomos, etc., que tenían un excelente conocimiento del español de aquella época y que escribieron numerosos libros, antes y después de la expulsión.

Otro factor que contribuyó a la continuidad centenaria del judeoespañol fue que, a pesar de su alejamiento de España, los sefarditas continuaron estando al corriente, durante muchos años, de los acontecimientos en dicho país y de los desarrollos en el campo de la creación literaria. Esto último, gracias a los marranos que venían a unirse con ellos, bastante regularmente y en grupos más o menos grandes, según las presiones ejercidas sobre ellos por la inquisición en la Península.

9.6. Papiamento

El señor gobernador Fredis Refunjol dio el siguiente discurso, durante la sesión extraordinaria del martes por la mañana, en la cual él proclamó públicamente su aceptación del importante cargo.

"Ahora que acabo de asumir la función de gobernador de Aruba, lo cual es un gran honor para mí, y quiero hacer uso de esta oportunidad para dirigirme al Parlamento y, a través del Parlamento, a todo el pueblo de Aruba. Quiero confirmar y asegurar que ejerceré mi función según el más elevado código de ética constitucional, con respeto a la ley y a todos los conciudadanos. Mi meta es ser un digno gobernador, sin discriminar ninguna raza, credo o color."

9.7. Chabacano

1 Padre Nuestro que estás en el cielo, santificado sea tu nombre.

2 Hágase tu voluntad, en la tierra como en el cielo.

3 Danos hoy nuestro pan de cada día

4 Perdona nuestras ofensas, como también nosotros perdonamos a los que nos ofenden.

5 No nos dejes caer en la tentación

6 Y líbranos del mal.

Rasgos españoles:

Línea 1: (...) Na cielo, bendito el di Uste nombre

Línea 2: Ace el di Uste voluntad aqui na tierra, igual como alli na cielo

Línea 3: Dale (...) el pan para cada dia

Línea 4: Perdona el (...) culpa, como (...) perdona (...) con aquellos tiene culpa (...)

Línea 5: No deja que (...) cae (...) na tentacion

Línea 6: Y libra (...) del mal

9.8. Cada oveja con su pareja

    1. f,   2. e,   3. g,   4. h,   5. i,   6. j,   7. b,   8. c,   9. a,   10. d

9.9. ¿Verdadero o falso?

    Verdadero: 1, 4, 6, 8, 13, 14, 17, 18, 19, 21, 23, 24

    Falso: 2, 3, 5, 7, 9, 10, 11, 12, 15, 16, 20, 22, 25

9.10. Prueba de autoevaluación

    Las respuestas se encuentran al final del ***Cuaderno de ejercicios.***

Variación social

10.1. Rasgos sociolingüísticos

1. e,   2. h,   3. g,   4. a,   5. b,   6. f,   7. d,   8. c

10.2. El habla rural puertorriqueña

LUIS: —No seas animal. Vas a ir para aprender a ganar más chavos (=dinero). El bruto siempre se queda abajo...

CHAGUITO: —El que nace bruto sí. Pero yo sé bastante...

JUANITA: —Sí, con tu tercer grado...

CHAGUITO: —Tú cállate. Las mujeres hablan cuando las gallinas mean.

DON CHAGO: —(*Riendo.*) Ay, ay. Si yo hubiera podido decirle eso a mi difunta.

JUANITA: —Eso es. Ríale las gracias al descarado éste.

(...)

DON CHAGO: —Conque el gallo había desaparecido, ¿eh?

CHAGUITO: —¡Ay, bendito viejo, no diga nada! Mire que si dice algo Luis me vende el gallo. Ya oyó lo que dijo. Miguel lo está esperando.

DON CHAGO: —Caramba, le dan tres buenos pesos por el condenado gallo. ¿Tú piensas sacarle más en el pueblo?

(René Marqués, *La carreta*, págs. 30–31)

10.3. Fórmulas de tratamiento

1. Usted/Título profesional: doctora Moreno

2. Ustedes/Nombre de pila o diminutivo: Pili y Paqui

3. Vos/Nombre de pila o Apellido: Ruiz

4. Vosotras/Nombres de pila o diminutivo: Lola y Eva

5. Usted/Título profesional: Profesor Hernández

10.4. El Voseo

10.5. Argot

1. El recién nacido sufría lesiones cerebrales, baja temperatura corporal y falta de oxígeno.

2. El seseo es general en Hispanoamérica.

3. Óscar está enamorado de Sagrario, pero a ella le da igual.

4. Al trabajador le robaron dos mil pesos

5. Primero tienes que cocer el tomate en agua hirviendo y luego lo cortas a tiras finas.

10.6. Lunfardo

1. m,   2. g,   3. l,   4. d,   5. a,   6. n,   7. h,   8. e,

9. j,   10. f,   11. o,   12. c,   13. k,   14. b,   15. p,   16. i,

10.7. Palabras tabú

1. Palabra tabú: Hostia

   Tipo: Religioso

   Versión cuidada: Tuvo un accidente tremendo con el coche.

2. Palabra tabú: Dios

   Tipo: Religioso

   Versión cuidada: Está cayendo tal nevada que no va a ir nadie a clase esta tarde.

3. Palabra tabú: Cabrón

   Tipo: Religioso

   Versión cuidada: ¡Qué desvergonzado eres, mira que irte del restaurante sin pagar...!

4. Palabra tabú: Coño

   Tipo: Sexual

   Versión cuidada: ¿Qué quieres ahora, no ves que me estás molestando?

5. Palabra tabú: Hostión/Culo

   Tipo: Religioso/Sexual (respectivamente)

   Versión cuidada: Javier le dio un guantazo en el trasero a la vecina del cuarto.

10.8. Cocoliche

STÉFANO: —Nada. Y la caída de este peso cada vez más tremendo es la muerte. Sencillo. Lo único que te puede hacer descansar es el ideal, el pensamiento... Pero el ideal es una ilusión y ninguno la ha alcanzado. Ninguno. No hay en la historia, papá, un sólo hombre, por más grande que sea, que haya alcanzado el ideal. Al contrario: cuanto más alto va, menos ve. Porque, al fin y al cabo, el ideal es el castigo de Dios al orgullo humano; mejor dicho: el ideal es el fracaso del hombre.

ALFONSO: —Entonces, el hombre que busca este ideal que no existe, tiene que dejar todo como está.

STÉFANO: —¿Ve cómo me entiende, papá?

ALFONSO: —Para desgracia mía. Ahora me sale con eso: "La vida es una ilusión." ¡No! No es una ilusión. Es una ilusión para el loco. El hombre puede ser feliz materialmente. Yo era feliz. Nosotros éramos felices. Teníamos todo. No faltaba nada. Tierra, familia y religión. La tierra... Chiquita, un pañuelito... Pero que le daba la alegría a la mañana, el trabajo al sol y la paz a la noche. La tierra... la tierra con la viña, el olivo y las tomateras no es una ilusión, no engaña, ¡es lo único que no engaña! Y me la hiciste vender para hacerme correr detrás de la ilusión, detrás del ideal, que ahora no se alcanza, detrás de la mariposa. Me engañaste. (...) Y me engañaste otra vez: "Papá, vamos a ser ricos. Voy a escribir una ópera mundial. Vamos a poder comprar el pueblo. Por cada metro que tenemos vamos a tener una cuadra..." Y yo, cegado, te creí.

10.9. ¿Verdadero o falso?

Verdadero: 1, 2, 6, 7, 10, 11, 13, 16, 18, 19, 21, 23, 25

Falso: 3, 4, 5, 8, 9, 12, 14, 15, 17, 20, 22, 24

10.10. Prueba de autoevaluación

Las respuestas se encuentran al final del *Cuaderno de ejercicios.*

Variación contextual

11

11.1. Elementos del acto de habla

Diálogo 1

Ambiente: Espacio público (tienda)

Participantes: Clienta y vendedor

Genero: Compra-venta

Clave: Familiar

Propósito: Transacción

Diálogo 2

Ambiente: Espacio público (clase)

Participantes: Profesor y estudiantes (oyentes)

Genero: Clase

Clave: Seria, distante

Propósito: Transaccional

Diálogo 3

Ambiente: Espacio privado (vivienda)

Participantes: Una pareja (esposa y esposo, novios . . .)

Genero: Despedida

Clave: Familiar, cariñosa

Propósito: Interaccional

Diálogo 4

Ambiente: Espacio público (consulta)

Participantes: Médico y enfermera (o secretaria)

Genero: Pregunta

Clave: Seria, familiar

Propósito: Transaccional

Diálogo 5

Ambiente: Espacio público (empresa)

Participantes: Director y candidato a una vacante

Genero: Entrevista

Clave: Seria, distante

Propósito: Transaccional

11.2. Registros

1. Consultivo
2. Protocolar
3. Informal
4. Íntimo
5. Protocolar
6. Informal
7. Formal
8. Protocolar
9. Íntimo
10. Consultivo

11.3. La autoestima: Variación de significado según el contexto

Diálogo 1

¿Quién ve comprometida su autoestima?: El estudiante

¿Por qué?: Porque no tiene listo el trabajo.

Diálogo 2

¿Quién ve comprometida su autoestima?: La secretaria 1.

¿Por qué?: Porque está insinuando algo falso, que ofende a la secretaria 2.

Diálogo 3

¿Quién ve comprometida su autoestima?: El empleado

¿Por qué?: Porque su pedido delata su ignorancia y falta de elegancia en la mesa.

Diálogo 4

¿Quién ve comprometida su autoestima?: La amiga 1 y Luis

¿Por qué?: La amiga 1: Porque su suposición insinúa que la pareja de su amiga es demasiado mayor para ella.

Luis: Porque lo están llamando "viejo" indirectamente.

Diálogo 5

¿Quién ve comprometida su autoestima?: Miguel

¿Por qué?: Porque sus supuestas infidelidades han quedado al descubierto.

11.4. Clases de actos de habla

1. Proporciona información (informativo)
2. Realiza un ruego (directivo)
3. Plantea una pregunta (interrogativo)
4. Proporciona información (informativo)
5. Ejecuta una acción (factitivo)
6. Plantea una pregunta (interrogativo)
7. Realiza un mandato (directivo)
8. Proporciona información (informativo)
9. Realiza un mandato (directivo)
10. Ejecuta una acción (comprometimiento)

11.5. Máximas conversacionales (I)

Diálogo 1

Máxima no respetada: Relevancia: La contestación no tiene absolutamente nada que ver con la pregunta.

Diálogo 2

Máxima no respetada: Claridad y organización

Diálogo 3

Máxima no respetada: Relevancia: La contestación no tiene absolutamente nada que ver con la pregunta.

Diálogo 4

Máxima no respetada: Calidad

Diálogo 5

Máxima no respetada: Cantidad

11.6. Máximas conversacionales (II)

En todos los casos, la máxima no respetada es la de relevancia.

1. Interpretación literal de "dar" (="entregar", no "decir")
2. Contestación irrelevante, ya que se trata de una pregunta de cortesía (No se está pidiendo permiso.)
3. Interpretación literal de la pregunta (Lo que en realidad se quiere decir es "¿Me puedes decir qué hora es?")
4. Interpretación de "tener" como "controlar"
5. Interpretación irrelevante del posesivo "nuestro"

11.7. Estrategias comunicativas: marcadores del discurso

Bueno, a ver, es que, en fin, que, nada, que, vamos, que, por cierto, o sea, vale, bueno, pues nada, ¿eh?

11.8. Lengua oral y lengua escrita

Hola Paco, soy Juan. Si estás ahí, coge el teléfono, por favor. En fin, te llamaba para decirte que no voy a poder comer contigo mañana, como habíamos quedado. Lo que sucede es que Marta me ha recordado que tenemos que ir al centro por la mañana y que no volveremos hasta las cinco o las seis de la tarde. Eso sí, podemos vernos pasado mañana o el viernes, como te venga mejor. Voy a estar despierto hasta pasadas las once, así que, si puedes, llámame. Hasta pronto.

11.9. ¿Verdadero o falso?

Verdadero: 1, 2, 3, 6, 8, 11, 13, 16, 21, 23, 25

Falso: 4, 5, 7, 9, 10, 12, 14, 15, 17, 18, 19, 20, 22, 24

11.10. Prueba de autoevaluación

Las respuestas se encuentran al final del *Cuaderno de ejercicios.*

El español en los Estados Unidos

12.1. Fondo histórico: "Cada oveja con su pareja"

1. f, 2. e, 3. h, 4. g, 5. d, 6. a, 7. c, 8. b

12.2. Los hispanos en EE.UU.

Estados	Ciudades principales
1. California	Los Ángeles, San Diego, San Francisco
2. Texas	San Antonio, El Paso
3. Florida	Miami (condado de Dade)
4. Nuevo México	Albuquerque
5. Arizona	Phoenix

12.3. El español en los nombres de ciudades estadounidenses

Ciudades	Estados	Ciudades	Estados
1. Santa Bárbara	California	7. Durango	Colorado
2. Santa Fe	Nuevo México	8. Laredo	Texas
3. Las Vegas	Nevada	9. Trinidad	Colorado
4. Las Cruces	Nuevo México	10. Alamogordo	Nuevo México
5. Sacramento	California	11. Rio Grande City	Texas
6. Paso Robles	California	12. Amarillo	Texas

12.4. Topónimos hispanos en los Estados Unidos

Identifique el/los estado(s) donde se encuentran los siguientes ríos y montes de nombre hispano:

Ríos	Estado(s)
1. Río Grande	Colorado, Nuevo México, Texas
2. San Jacinto	Texas
3. Sacramento	California
4. Santa Fe	Nuevo México
5. San Miguel	Colorado

Montes	Estado(s)
6. Sierra Nevada	California, Nevada
7. Sierra Madre	California
8. Sangre de Cristo	Nuevo México
9. Mount Diablo	California
10. Guadalupe	Nuevo México, Texas

12.5. El español cubanoamericano

Figúrate tú que estaba medio ida pelando papas y, de pronto, veo algo sobre el frigorífico. Como no tenía los espejuelos puestos, solamente veía un bulto y me figuré que era el cesto de pan; seguí pelando papas y, cuando voy a abrir la puerta del frigorífico para sacar la mantequilla pasé el susto de la vida. Había un hombre transparente con un guanajo bajo el brazo, sentado sobre el frigorífico. Me recobré un poco y le dije al aparecido: "¿Qué quieres?" El me respondió: "Soy San Given". Entonces yo le dije: "¿San Given el de la novela?" Y él me dijo: "Sí, el mismitico."

12.6. Lenguas en contacto: préstamos

		Inglés	**Español estándar**
1.	chopear	*to shop*	ir de compras
2.	liquear	*to leak*	gotear
3.	rufo	*roof*	tejado
4.	guachimán	*watchman*	vigilante
5.	partaim	*part-time*	empleo/trabajador a tiempo parcial
6.	feca	*fake*	falso
7.	estró	*straw*	pajita
8.	trábol	*trouble*	problema
9.	cuora	*quarter*	cuarto de dólar
10.	escrachao	*scratched*	arañado

12.7. Lenguas en contacto: calcos

1. Tener un buen tiempo (en una fiesta).

   Inglés: *To have a good time.*

   Español estándar: Pasarlo bien.

2. Tomar algo fácil.

   Inglés: *To take something easy.*

   Español estándar: Tomarse algo con calma.

3. Mantener un perfil bajo.

   Inglés: *To keep a low profile.*

   Español estándar: Tratar de pasar desapercibido.

4. Maquillarse la mente.

   Inglés: *To make up one's mind.*

   Español estándar: Decidirse (por una u otra alternativa).

5. Mantener un secreto.

   Inglés: *To keep a secret.*

   Español estándar: Guardar un secreto.

6. Ir a la oficina del médico.

   Inglés: *To go to the doctor's office.*

   Español estándar: Ir a la consulta del médico.

12.8. Diálogo de bilingües

(*En clase*)

ROSA: —Hola Cristina, ¿qué tal estás? Te ves preciosa.

CRISTINA: —Es que me fui a cortar el pelo ayer... A Mark le gusta así: otra vez estamos saliendo, ¿lo sabías?

ROSA: —¡Estupendo! No, no lo sabía. Por cierto, ¿sabes si debemos entregar hoy el trabajo?

CRISTINA: —Pues, no sé. Espero que no sea hoy...

ROSA: —No tuve tiempo para corregirlo ayer. Tuve que ir al supermercado y perdí tanto tiempo buscando espacio para aparcar...

CRISTINA: —Pues yo conozco una tienda que reparte la compra a domicilio, por si te interesa...

ROSA: —Bueno, vale. Cuéntame después que ya ha comenzado la clase.

12.9. ¿Verdadero o falso?

Verdadero: 3, 4, 6, 7, 10, 14, 15, 17, 19, 21, 22, 23

Falso: 1, 2, 5, 8, 9, 11, 12, 13, 16, 18, 20, 24, 25

12.10. Prueba de autoevaluación

Las respuestas se encuentran al final del *Cuaderno de ejercicios.*